M000122016

# À la recherche de Julie

### Niveau **1 - A1**

## MARIE-LAURE LIONS-OLIVIÉRI

Direction de la production éditoriale : Béatrice Rego – Édition : Élisabeth Fersen – Marketing : Thierry Lucas – Conception graphique et mise en page : Miz'enpage – Illustrations : Oscar Fernandez – Recherche iconographique : Clémence Zagorski – Enregistrements : Vincent Bund – CLE International / SEJER 2012 – ISBN : 978-20-903-1331-4

Photos : Couverture : - ph © muro - Fotolia • Crêpes : DLeonis - Fotolia • Bouillabaisse : JJAVA - Fotolia • Fondue : M.studio - Fotolia • Calanques : Samuel Borges - Fotolia • Savoie : minicel73 - Fotolia

# Sommaire

# Présentation

Genre Aventure

Résumé L'histoire se passe en France, dans un collège de Savoie. Karim est sélectionné pour une course de chiens de traîneau. Julie, son chien de tête, disparaît. Ses trois copains, Antoine, Nico et Quentin vont aider Karim à trouver le chien dans la nuit et le froid.

Thèmes Vie dans un internat – la montagne – l'hiver – le sport – les chiens de traîneau – l'amitié.

# Les personnages

Karim

C'est le musher.
C'est le copain d'Antoine, Nicolas et Quentin.

Antoine   Nicolas   Quentin

Ce sont les copains de Karim.

**1. Coche ou entoure bonne réponse.**

Lis le titre, regarde les images. Qu'est-ce que tu crois ?

**a.** Dans ce livre, on parle...

1. de vacances à la montagne ?                                        ❏

2. de vacances à la mer ?                                             ❏

3. de la vie des élèves dans un collège de montagne ?                 ❏

**b.** Là où se passe l'histoire...

1. Il fait    *chaud.*    *froid.*

2. C'est    *l'été.*    *l'hiver.*

3. La spécialité du collège, c'est    *les sports de neige.*    *la musique.*

**2. Lis les définitions puis complète le dessin avec :**

*traîneau - attelage - chien de tête - musher*

**a.** Homme qui conduit le véhicule.

**b.** Chien qui dirige ses compagnons, *leader.*

**c.** Véhicule.

**d.** Groupe de chiens qui tire le véhicule.

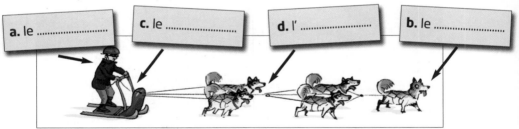

**a.** le .............................    **c.** le .............................    **d.** l' .............................    **b.** le .............................

**3.  Le collège. Relie le mot à la définition.**

**a.** Un surveillant.    •          • 1. Il dirige le collège.

**b.** Un principal.    •          • 2. Il enseigne aux élèves.

**c.** Un professeur.    •          • 3. Il dort et il mange au collège.

**d.** Un pensionnaire. •          • 4. Il s'occupe des élèves.

## CHAPITRE UN

# Au collège de La Source-en-Savoie

C'est lundi. Karim, Antoine, Quentin et Nicolas sont pensionnaires[1] au collège de La Source-en-Savoie, à une altitude de 1 350 mètres.

La matière principale du collège, c'est le sport. Le matin, les élèves ont cours de 8 h à 12 h et, l'après-midi, ils ont deux ou trois heures d'activités sportives.

L'hiver, ils pratiquent le ski de piste, le ski de fond mais aussi la course de chiens de traîneau !

1. Un pensionnaire : élève qui mange et dort au collège.

Aujourd'hui, ils ont français, maths, histoire et anglais.

Karim et Quentin adorent les maths, mais Antoine et Nicolas détestent !

C'est l'heure du premier cours. Les élèves entrent en classe de français.

– Bonjour madame.

– Bonjour les enfants ! Je fais l'appel. Abello Paul ?

– Présent.

– Baroin Thomas ?

– Il n'est pas là madame, il est malade.

– Bon, absent.

...

Le professeur de français termine l'appel.

– Bien, maintenant... les exercices. Antoine, tu commences, s'il te plaît ?

– Oui, madame.

L'exercice d'Antoine est correct et Antoine a une bonne note : 18 sur 20. Il est très content.

Et maintenant, cours de maths. Antoine et Nicolas sont furieux ! La leçon est difficile...

À midi, les élèves vont à la cantine.

– Il y a quoi, aujourd'hui ? demande Karim.

Nicolas lit le menu :

– Salade, hamburger-frites, camembert et orange.

– Super ! dit Karim, j'adore !

Ils mangent et parlent du programme de la semaine.

– Ce soir, il y a cours de hip hop, dit Quentin. Mardi soir, c'est l'anniversaire de Zoé. Mercredi, Karim a son entraînement[2] pour la course de chiens de traîneau et vendredi, c'est la

---

2. Un entraînement : préparation pour une compétition sportive.

compétition !

– Super ! répondent les trois copains.

Après le déjeuner, ils ont une heure de récréation. Ils vont dans la cour et jouent au foot.

Les trois heures de l'après-midi passent vite. C'est du sport. Ils adorent, naturellement !

À la fin des cours, Karim dit :

– Je suis content... ce soir, nous voyons Julie.

– C'est vrai ! Nous donnons le dîner aux chiens ! Cool[3] ! dit Nico.

Après le goûter, ils vont à la bibliothèque et ils font les devoirs. Valérie, la surveillante, aide un peu les élèves.

À 18 heures 30, les quatre copains vont voir les quatre huskys : Julie, Flocon, Rush et Loup.

– Oh ! La porte est ouverte ! dit Quentin.

– C'est vrai ! Ce n'est pas normal, répond Antoine.

– Qui est là ? demande Karim.

3. Cool (familier) : super.

Pas de réponse. Ils entrent dans le chenil[4] avec les quatre gamelles[5].

Trois chiens arrivent immédiatement... Trois ???

– Où est Julie ? dit Antoine.

– Julie ! Julie ! Julie ? Où es-tu ?

Julie ne répond pas.

Tous les quatre pensent à la porte ouverte... Pourquoi ?

– On fait quoi ? demande Nicolas.

– Je ne sais pas..., dit Antoine. Il est sept heures, allons à la cantine, c'est l'heure du dîner.

Ce soir, il y a des spaghettis à la Carbonara ! Les quatre amis adorent mais ils ne sont pas en forme et ne mangent pas beaucoup. Ils pensent à Julie. Où est-elle ?

Il est 20 h. C'est le cours de hip hop. Ce n'est pas obligatoire, mais c'est amusant ! Normalement, Quentin et Antoine participent au cours mais pas aujourd'hui.

## 21 HEURES

Les élèves vont au dortoir[6]. Les quatre copains parlent à voix basse de la disparition de Julie. Ils sont tristes. Vendredi, c'est le championnat et Julie est le chien de tête de l'attelage de Karim ! Elle dirige les autres chiens... Karim, lui, est le musher. Sans Julie, il n'y a pas de course...

Cette nuit, ils dorment peu et mal.

---

4. Un chenil : lieu où habitent les chiens.
5. Une gamelle :
6. Un dortoir : lieu, dans le collège, où les élèves dorment.

# ⓫ Activités chapitre un

## 1. Réponds aux questions.

**a.** C'est quel jour de la semaine ?

.........................................................................................................................

**b.** Aujourd'hui, quelles matières ont les élèves ?

.........................................................................................................................

**c.** Quelle est la matière principale du collège ?

.........................................................................................................................

**d.** Donne deux activités sportives du collège :

.........................................................................................................................

## 2. Vrai ou faux ? Coche.

|  | VRAI | FAUX |
|---|---|---|
| **a.** Les élèves du collège dorment chez eux. | ❏ | ❏ |
| **b.** Le collège est à 500 mètres d'altitude. | ❏ | ❏ |
| **c.** L'exercice de français d'Antoine est correct. | ❏ | ❏ |
| **d.** Karim aime le menu de la cantine. | ❏ | ❏ |
| **e.** Antoine et Nicolas adorent les maths | ❏ | ❏ |

## 3. Relie les jours aux activités.

**a.** lundi •             • 1. anniversaire de Zoé

**b.** mardi •             • 2. entraînement

**c.** mercredi •          • 3. compétition

**d.** vendredi •          • 4. hip hop.

**4. Le chenil.**

**a.** Complète le texte avec :

*où - gamelles - Julie - arrivent*

Ils entrent dans le chenil avec les quatre ............... Trois chiens ...............
immédiatement. ................. ne vient pas. Elle est ................. ?

**b.** Complète la définition par le nom d'un des chiens du texte.

1. Un .................... est une petite quantité de neige qui tombe du ciel.

2. Un .................... est un animal sauvage qui est un peu comme le chien.

**5. La vie au collège. Trouve le mot qui correspond à la définition.**

**a.** Lieu où on mange : la c.............................................................................

**b.** Lieu où on étudie : la b.............................................................................

**c.** Lieu où on dort : le d ...............................................................................

**d.** Lieu où on joue : la c ...............................................................................

**6. Le championnat. Entoure la bonne réponse.**

**a.** Vendredi, c'est le championnat de

        *chiens de traîneau.*     *ski de fond.*

**b.** Le collège de La Source-en-Savoie

        *participe.*    *ne participe pas.*

**c.** Le musher, c'est

        *Quentin.*     *Karim.*

**d.** Le chien de tête, c'est

        *Julie.*     *Rush.*

## CHAPITRE DEUX

# Où est Julie ?

Le mardi matin, les garçons sont fatigués.

Il neige[1] et il fait froid. Brrr !

Les cours commencent : anglais et physique puis, après la récréation, SVT et français. Le temps est long pour les quatre copains. Ils pensent à Julie.

Le professeur d'anglais s'énerve[2] avec Quentin :

- Quentin, tu écoutes ?

Le prof de physique dit d'un ton sévère à Antoine :

- Antoine, tu penses à quoi ? Prends ton stylo et fais l'exercice, s'il te plaît !

Enfin, c'est la récréation... Super ! Vite au chenil !

Mais Julie n'est pas là.

Ils cherchent dans tout le chenil. Rien[3] ! Les autres chiens sont nerveux[4]. Ils veulent sortir, courir...

Les enfants tranquillisent les animaux, avec des caresses[5], des mots gentils...

- Tu es beau, très beau, Rush ! et toi, Flocon, tu es très fort... Loup, tu es magnifique. Demain, on va courir...

- Partons, dit Nico. Le cours de SVT va commencer... la prof n'aime pas quand on est en retard.

---

1. Il neige :
2. S'énerver : être irrité contre une personne.
3. Rien : pas une seule chose.
4. Nerveux : contraire de *tranquille*.
5. Une caresse : action de toucher l'animal sans violence, avec amabilité.

Après le déjeuner, les quatre garçons sortent vite dans la cour. Ils veulent parler tranquillement et trouver une solution pour Julie.

– Elle est où ? dit Karim, nerveux.

Silence. Personne[6] ne peut répondre à la question de Karim.

– Tout ça, c'est bizarre[7]... trop bizarre, dit Quentin.

– Qu'est-ce que tu veux dire ? demande Nico.

– Je crois que... que quelqu'un cache[8] Julie.

– Mais qu'est-ce que tu racontes ? dit Karim. Qui peut faire ça et pourquoi ?

6. Personne : 0 personne ; pas une seule personne.
7. Bizarre : étrange.
8. Cacher : ici, mettre dans un endroit où on ne peut pas voir l'animal.

- Je ne sais pas... Je cherche une explication..., dit Quentin.

- C'est peut-être Boris, dit Antoine.

- Boris ? Pourquoi ? demande Nico.

- Parce qu'il veut ton attelage, Karim.

- Tout le monde veut mon attelage, répond Karim. C'est normal, les chiens sont très bons... mais Boris est sympa... arrête de dire des bêtises[9], Antoine.

- Ça va... alors, elle est où Julie ? Réponds, monsieur je sais tout...

- Stop ! dit Nico. Ne vous disputez pas ! Ce n'est pas le moment. Bon, on va parler au principal !

- Pas question, dit Karim, nous sommes responsables des chiens. On ne parle à personne ! OK ?

- OK.

Aujourd'hui, à cause de la neige, ils font les activités sportives dans le gymnase.

Quand ils arrivent au gymnase, Rayan et Samy, deux autres garçons de la classe, arrivent aussi.

- Et le match de foot ? dit Rayan. Qu'est-ce que vous avez, vous ne voulez plus jouer avec nous ?

- Non, ce n'est pas ça, dit Karim.

- C'est quoi alors ? Tu oublies les copains car tu es sélectionné pour le championnat ? C'est ça ? Ce n'est pas sympa !

Et il part avec Samy.

- Qu'est-ce qu'il a ? demande Karim.

- Rien, dit Nico, il est jaloux[10]... il n'est pas sélectionné pour la course de traîneau, alors il est furieux.

---

9. Une bêtise : chose pas intelligente, stupide.
10. Jaloux : personne qui veut ce que les autres ont est un *jaloux*.

**1. Mardi. Réponds aux questions.**

**a.** Comment sont les garçons le matin ?

...............................................................................................

**b.** Il fait quel temps ?

...............................................................................................

**c.** Quel professeur s'énerve avec Quentin ?

...............................................................................................

**d.** Est-ce que Julie est là ?

...............................................................................................

**2. Les chiens. Complète le texte avec les mots suivants :**

*courir - caresses - tranquillisent - chenil - nerveux*

Les enfants vont au ................. Les trois chiens sont ................. Ils veulent

sortir et ..................... Les quatre amis ................. les animaux avec des ...........

........., des mots gentils.

**3. Après le déjeuner. Entoure la bonne réponse.**

**a.** Karim est     *tranquille.     nerveux.*

**b.** Quelqu'un cache Julie. Pour Antoine, c'est     *Rayan.     Boris.*

**c.** Les quatre amis     *vont     ne vont pas*     parler au principal.

**d.** Rayan parle avec Karim. Il est     *sympathique.     furieux.*

**e.** Pour Nico, Rayan est     *jaloux.     content pour Karim.*

## 4. Vrai ou faux ? Coche

|  | VRAI | FAUX |
|---|---|---|
| **a.** Les quatre copains sont responsables des chiens. | ❏ | ❏ |
| **b.** Rayan est aussi selectionné pour la course de chiens de traîneau. | ❏ | ❏ |
| **c.** L'après-midi, les élèves font du ski. | ❏ | ❏ |
| **d.** À cause de la neige, ils font le sport dans le gymnase. | ❏ | ❏ |

## 5. Dans la grille, trouve cinq mots du texte qui ont une relation avec l'école.

| A | H | L | X | C | B | R | S |
|---|---|---|---|---|---|---|---|
| Z | R | T | I | P | D | E | G |
| Y | P | U | T | B | V | C | H |
| A | H | P | C | O | U | R | S |
| G | Y | M | N | A | S | E | E |
| N | S | V | Z | S | F | A | J |
| G | I | W | J | S | V | T | E |
| V | Q | F | T | N | L | I | G |
| V | U | L | O | E | U | O | A |
| M | E | H | V | P | W | N | S |

# CHAPITRE TROIS

# L'anniversaire de Zoé

À la fin des activités sportives, le principal entre dans le gymnase.
- Bonjour monsieur.
- Bonjour les enfants, dit le principal. Karim, viens, je veux te parler.
- Qu'est-ce qu'il y a, monsieur ? demande Karim.
- Demain, le vétérinaire vient voir Julie et ses compagnons. Tout va bien ? Ils sont en forme ?
- Oui... oui..., monsieur. Ils vont très bien.
- Parfait. Vous faites un bon travail avec les chiens, c'est bien.
- Mer... merci, monsieur.
Le principal part et Karim sort du gymnase.
Il passe devant Rayan. Rayan le regarde d'un air mauvais. Karim ne dit rien.
Quentin arrive à ce moment-là.
- Karim, Karim, ce soir, c'est l'anniversaire de Zoé...
- Ah oui ! C'est vrai ! On a un cadeau ?
- Oui, les filles ont une idée : elles vont acheter un jeu vidéo et un petit bracelet. Maintenant, on va préparer la salle, la musique, les sandwichs et les boissons. Tu viens ?
- Euh... je voudrais chercher Julie.
- Pas maintenant ! On va aider pour la fête...
- D'accord, on parle après.
Après la préparation de la fête, les quatre amis parlent un moment.

– Julie n'est pas au collège, c'est sûr. Elle est au village ou dans la montagne...

– Demain, nous allons chercher Julie, dit Quentin.

– Demain ? dit Karim, mais tu es fou[1] ! Demain, c'est l'entraînement ! Non, nous cherchons Julie cette nuit !
Il est 18 h 30 ! Vite ! Les devoirs !

Après le dîner, tous les élèves de la classe vont dans la salle pour l'anniversaire de Zoé.
Son père est boulanger[2] : il y a un énorme gâteau au chocolat sur la table. Zoé aime beaucoup ses cadeaux, la musique est super... et le gâteau, excellent !

– Bon anniversaire Zoé ! Et bravo à ton père ! crient les élèves.
Tous les garçons invitent Zoé à danser, même Karim ! C'est une très bonne soirée.
À dix heures, Alex, un autre surveillant, dit :

– Il est dix heures ! On arrête la musique !

– S'il vous plaît, Alex, on peut danser un peu plus !

– Pas question ! Il est dix heures, on range[3] et tout le monde va dormir !

– Bonne nuit ! disent les filles.

– Bonne nuit, les filles, à demain !

Il est 11 heures 30 du soir.
Les quatre amis sont dans le hall du collège. Ils portent un gros pull, un anorak, une écharpe, un bonnet, des gants[4] et de bonnes chaussures de montagne.

1. Fou : personne qui est perturbée mentalement.
2. Un boulanger : personne qui fait le pain.
3. Ranger : mettre la salle en ordre.

- On se sépare, dit Quentin. Antoine et moi, on cherche dans la montagne et vous, dans le village.

- D'accord !

- On a nos téléphones portables, dit à nouveau Quentin. Si on trouve Julie, on se téléphone ou on envoie un SMS.

- On peut seulement chercher dans la rue, dit Karim. On ne peut pas demander aux gens, il est tard.

- Elle est peut-être dans la rue ou dans la cour d'une ferme[5] ! dit Antoine. Allez, en route !

Ils sortent du collège. Antoine et Quentin vont vers la montagne et Karim et Nico se dirigent vers le village.

Peu après, deux personnes sortent du collège et marchent vers le village, derrière Karim et Nico.

À minuit, Valérie va voir dans les dortoirs si tout va bien.

- Mais, ce n'est pas possible ! dit-elle.

Et elle court voir le principal.

4. Une écharpe, un bonnet, des gants :
5. Une ferme : lieu où on a des animaux : vaches, moutons, lapins...

## Activités chapitre trois

**1. Retrouve l'ordre des actions du chapitre trois. Numérote les phrases.**

**a.** Valérie va dans le dortoir.

**b.** C'est la fête de Zoé.

**c.** Les quatre amis font les devoirs.

**d.** Les élèves rangent la salle.

**e.** Les élèves préparent la salle pour la fête.

**f.** Le principal parle à Karim.

**2. Complète le dialogue avec :**

*travail - vétérinaire - veux - forme - compagnons*

- Bonjour les enfants, dit le principal. Karim, viens, je ....................
  te parler.

- Qu'est-ce qu'il y a, monsieur ? demande Karim.

- Demain, le ...................... vient voir Julie et ses ....................
  Tout va bien ? Ils sont en .................... ?

- Oui... oui..., monsieur. Ils vont très bien.

- Parfait. Vous faites un bon .................... avec les chiens, c'est bien.

- Mer... merci, monsieur.

### 3. Zoé. Complète les phrases.

**a.** Son père est ...............................................................................................

**b.** Il donne un énorme gâteau au ...................................................................

**c.** Le gâteau est ...............................................................................................

**d.** Zoé ................................................................................................................
beaucoup ses cadeaux.

**e.** Les garçons .................................................................................................
Zoé à danser.

### 4. Qu'est-ce qu'on dit à une personne qui fête son anniversaire ? Cherche dans le texte.

...............................................................................................................................

...............................................................................................................................

### 5. La nuit. Vrai ou faux ?

| | VRAI | FAUX |
|---|---|---|
| **a.** Il fait froid. | ❏ | ❏ |
| **b.** Les quatre amis sont en pyjama dans le hall. | ❏ | ❏ |
| **c.** Quentin et Antoine vont dans le village. | ❏ | ❏ |
| **d.** Deux personnes marchent derrière Karim et Nico. | ❏ | ❏ |

### 6. Dans la grille, trouve 5 vêtements donnés dans le texte.

| C | H | A | U | S | S | U | R | E | S |
|---|---|---|---|---|---|---|---|---|---|
| B | B | S | F | D | R | M | H | X | V |
| O | G | N | G | A | N | T | S | H | R |
| N | T | X | A | N | H | P | J | C | Q |
| N | R | B | Q | O | J | O | D | U | A |
| E | C | H | A | R | P | E | S | O | M |
| T | E | N | W | A | K | T | C | N | T |
| Y | P | R | V | K | L | U | B | D | F |

## CHAPITRE QUATRE

# La nuit de mardi à mercredi

Nico et Karim sont dans le village. Ils marchent vite car il fait froid.

Il n'y a personne dans les rues.

Ils parlent... les chiens aboient[1]... ils regardent de tous les côtés. Ils espèrent voir Julie.

– Rien, dit Karim. Elle n'est pas ici.

– Allons voir dans le jardin qui est près de l'église[2], dit Nico.

– D'accord.

Ils montent la rue qui va à l'église.

– Tu sais, dit Karim, si on ne trouve pas Julie...

Brusquement, Nico prend Karim par le bras et se met à courir.

– Qu'est-ce qui se passe ? demande Karim.

– Cachons-nous, dit Nico, tout bas.

– Mais...

– Chut !

Ils se cachent derrière l'église.

---

1. Aboyer : Le chien ne parle pas, il aboie. Son crie : un *aboiement*.
2. Une église :

– Regarde, dit Nico.

Karim entend des pas et...

– Oh, non ! dit-il.

Nico sort alors de sa cachette[3] et dit, furieux :

– Qu'est-ce que vous faites ici ?


Quentin et Antoine marchent rapidement dans la montagne. Ils arrivent devant une ferme.

Ils voient une camionnette[4] blanche devant la porte.

– C'est la camionnette du père de Zoé, non ? dit Antoine.

Le père de Zoé apporte le pain tous les jours au collège. Les élèves connaissent la camionnette.

– Mais il n'habite pas là, répond Quentin. Ils vivent à Chambéry.

– La ferme est peut-être à eux.

– Je ne sais pas, dit Antoine. Regardons sur la boîte aux lettres[5].

À la lumière des téléphones portables, ils lisent le nom.

– M. Vitraz, tu connais, Antoine ? demande Quentin.

– Oui, je crois que c'est le nom du prof de sport du collège de La Bâtie.

– Ah...! Regarde, il y a de la lumière dans le garage. On va voir ?

Antoine et Quentin, sans faire de bruit, vont au garage... mais le téléphone d'Antoine sonne ! On entend un aboiement, deux aboiements... mais, c'est Julie !!!

---

3. Une cachette : lieu où on se cache.
4. Une camionnette :
5. Une boîte aux lettres :

– Qui est là ? crie un homme.

Vite, Antoine et Quentin se cachent derrière un arbre. Antoine met son téléphone sur « silence »... Ils écoutent. Julie aboie à nouveau... Elle sent ses amis et aboie maintenant très fort.

Le boulanger sort du garage et regarde : personne. Il entre à nouveau dans le garage. Julie arrête d'aboyer... le père de Zoé la tranquillise, sans doute...

Peu après, le père de Zoé sort à nouveau du garage, ferme la porte à clé[6], met la clé sur la fenêtre et part avec la camion-nette.

Antoine et Quentin attendent un moment puis ils retournent au garage.

Au même moment, au collège, le principal téléphone aux gendarmes[7].

6. Une clé
7. Un gendarme : le gendarme fait respecter l'ordre, la loi.

**1. La nuit de mardi à mercredi. Vrai ou faux ?**

| | VRAI | FAUX |
|---|---|---|
| **a.** Dans le village, il n'y a personne dans les rues. | ❏ | ❏ |
| **b.** Karim et Nico vont dans le jardin près de l'école. | ❏ | ❏ |
| **c.** Ils trouvent Julie. | ❏ | ❏ |
| **d.** Quentin et Antoine voient une camionnette devant une ferme. | ❏ | ❏ |
| **e.** C'est la camionnette du vétérinaire. | ❏ | ❏ |
| **f.** Ils trouvent Julie. | ❏ | ❏ |

**2. À ton avis, à qui parle Nico quand il dit : _Qu'est-ce que vous faites ici ?_**

...........................................................................................................................

...........................................................................................................................

...........................................................................................................................

...........................................................................................................................

**3. Complète les questions avec les mots suivants et réponds.**

*qui - quelle - comment - où*

**a.** .............. habite le boulanger ? ...................................................................

**b.** .............. se cachent Antoine et Quentin ? .............................................

**c.** De .............. couleur est la voiture du boulanger ? ...............................

**d.** .............. aboie Julie ? ....................................................................................

**e.** À .............. est la ferme ? ...............................................................................

**4. Réponds.**

Le principal téléphone à qui ?

.......................................................................................................

.......................................................................................................

.......................................................................................................

.......................................................................................................

.......................................................................................................

.......................................................................................................

.......................................................................................................

**5. Relie le mot à la définition.**

**a.** Une clé         •        • 1. Endroit d'une maison où on met sa voiture.

**b.** Une boîte aux lettres   •        • 2. Endroit où il y a des animaux : poules, vaches, lapins...

**c.** Un garage       •        • 3. Objet pour fermer une porte d'une manière sûre.

**d.** Une ferme       •        • 4. Objet, à l'extérieur d'une maison, où quelqu'un met le courrier.

# CHAPITRE CINQ

# Julie est de retour[1] !

Les gendarmes arrivent au collège. Ils cherchent les enfants partout : dans la cantine, le gymnase, les salles de cours, le chenil... Ils vont voir le principal.

- Monsieur le principal, dit un gendarme, les six enfants ne sont pas là et il y a seulement trois chiens au chenil.

- Comment ? Qu'est-ce que vous dites ? six enfants disparus[2] et trois chiens ?

Le principal court au chenil avec les gendarmes.

- Julie est absente ! Mais... où est-elle ? Mon Dieu... C'est une catastrophe !

- Nous allons chercher les enfants et le chien, dit un gendarme. Ils ne sont pas loin[3], c'est sûr.

- Je viens avec vous, dit le principal.

- Non... ce n'est pas nécessaire, monsieur... Je vous téléphone dans une demi-heure.

- Très bien, messieurs, merci.

Tous les élèves sont nerveux et ils ne veulent pas aller dormir. Valérie et Alex proposent d'aller à la cantine. Ils préparent un chocolat chaud... la nuit va être longue.

Les élèves parlent de l'aventure. Ils sont inquiets[4]... Ils pen-

---

1. *Est de retour* : Julie est enfin à la maison.
2. Disparu : personne qui n'est pas là et on ne sait pas où elle est.
3. Loin : contraire de *près* : à côté de quelque chose.
4. Inquiet : préoccupé.

sent à la course... Quelle histoire, cette disparition... ! Karim peut gagner la course... c'est trop nul !

À la ferme, Antoine et Quentin prennent la clé sur la fenêtre et ouvrent la porte.

Julie ! Enfin, tu es là ! Elle est folle de joie[5]. Quelle fête ! Les deux amis caressent et embrassent[6] le chien. Julie saute partout !

– Chut ! Calme[7], calme..., dit Antoine.

Julie se tranquillise. Maintenant, ils peuvent partir.

Les garçons trouvent une corde[8] dans le garage. Ils attachent le chien puis ils sortent et vont vers la route.

Julie est contente de sortir dans la neige.

Les garçons sont fatigués et ils ont froid.

– Antoine, dit Quentin, téléphone et donne la bonne nouvelle à Karim et à Nico !

– Ah oui... c'est vrai !

Antoine a des difficultés à marquer le numéro... il a trop froid. Il

---

5. *Elle est folle de joie* : *folle*, est le féminin de *fou* ; elle est très, très contente.
6. Embrasser :
7. Calme : tranquille.
8. Une corde :

commence à parler... mais une camionnette arrive !

– Vite, cachons-nous ! C'est le boulanger ! dit Quentin.

Trop tard ! La camionnette s'arrête.... Ouf ! ce sont les gendarmes !

– Allô, Allô, Allô ! crie Karim dans le téléphone. Antoine ? Vous êtes où ? Et Julie, elle est avec vous ?

– Oui, nous sommes avec Julie et les gendarmes, sur la route du Bois noir.

– Nous arrivons !

Les enfants montent avec Julie dans la voiture... Hum ! Il fait chaud, c'est bon !...

La voiture part. Sur la route, ils trouvent Karim, Nico mais... ils ne sont pas seuls.

– Julie est là... je suis très content ! dit Karim.

- Oui, c'est super ! répond Antoine. Mais... qu'est-ce qu'ils font avec vous ?

Et il montre Rayan et Samy qui sont derrière ses deux amis.

- Oh, c'est une longue histoire... je te raconte plus tard... Pour résumer, ils aiment jouer à *James Bond*, dit Nico.

- Quoi ? dit Quentin.

- Je suis désolé, dit Rayan. On vous trouve bizarres en ce moment... alors pour découvrir votre secret...

- Je vois, vous nous suivez..., dit Antoine.

- Bon, on va s'expliquer plus tard, dit Karim. Pour le moment, on fait la paix, d'accord ? Julie est avec nous, c'est la seule chose importante.

Julie entend Karim. Elle est contente et aboie très fort.

Un gendarme appelle le principal et la gendarmerie.

À trois heures du matin, les enfants et Julie arrivent enfin au collège. Tous : les élèves, les surveillants, le principal, sont à la cantine. Les garçons, Julie et les gendarmes entrent... tout le monde applaudit[9], crie et caresse Julie !

Zoé donne un chocolat chaud aux six garçons. Tous les élèves crient :

- Allez, racontez, racontez !

Mais ce n'est pas possible... Zoé est là !

- Monsieur le principal, dit Antoine, est-ce qu'on peut aller dans votre bureau, s'il vous plaît ?

Là, ils racontent tout : la disparition du chien, le garage de M. Vitraz, le père de Zoé.

Julie va au chenil avec une bonne gamelle et beaucoup de caresses et les enfants vont dormir. Mais ils ne peuvent pas... ils pensent à Zoé... Pauvre Zoé !

9. Applaudir :

# ❚ Activités chapitre cinq

### 1. Retrouve l'ordre des actions du Chapitre cinq.
### Numérote les phrases.

**a.** Les garçons attachent Julie et vont vers la route. ❏

**b.** Les gendarmes arrivent au collège
avec les enfants et Julie. ❏

**c.** Antoine et Quentin trouvent Nico et Karim. ❏

**d.** Les quatre copains racontent tout au principal. ❏

**e.** Les gendarmes cherchent les enfants dans le collège. ❏

### 2. À la cantine. Complète avec :

*aventure – inquiets – chocolat – longue – nerveux – dormir*

Tous les élèves sont très ................ et ils ne veulent pas aller ................ .
Valérie et Alex proposent d'aller à la cantine. Ils préparent un ................
chaud ; la nuit va être ................ .
Les élèves parlent de l'................ . Ils sont ....................

### 3. Réponds aux questions.

**a.** Combien d'enfants ne sont pas dans le collège ?

.................................................................................................................

.................................................................................................................

**b.** Qui est avec Karim et Nico ?

.................................................................................................................

.................................................................................................................

**4. Réponds. Pourquoi... ? / Parce que...**

**a.** Pourquoi Rayan et Samy suivent les quatre copains ?

..........................................................................................................................

..........................................................................................................................

**b.** Pourquoi les quatre amis ne veulent pas raconter l'aventure
à la cantine ?

..........................................................................................................................

..........................................................................................................................


**a.** Tout le monde   •

**b.** Antoine   •

**c.** Les gendarmes   •

**d.** Le principal   •

• 1. montre Rayan et Samy.

• 2. veut accompagner
les gendarmes.

**5. Relie le sujet à la fin de la phrase.**

**6. Trouve le mot contraire dans le texte.**

**a.** tristesse : ....................................................................................

**b.** mauvaise : ....................................................................................

**c.** devant : ....................................................................................

**d.** près : ....................................................................................

# CHAPITRE SIX

# Le championnat

**MERCREDI MATIN**

Les élèves n'ont pas cours mais ils ont entraînement.

Karim prépare la course et les autres, des compétitions de ski de piste ou de ski de fond.

Les quatre garçons vont chercher les chiens.

Le vétérinaire vient voir Julie. Il observe ses muscles et ses pattes.

– Julie est en forme ! Pas de problème, dit le vétérinaire.

Les enfants sont contents.

Les autres chiens vont bien aussi.

Les chiens et les quatre ados montent dans le camion pour aller à l'entraînement.

Quentin, Antoine et Nico aident Karim à monter l'attelage.

Karim et son attelage partent : 10 kilomètres aujourd'hui !

– Bonne course ! disent les trois copains à Karim. Nous chronométrons[1] !

– OK ! À plus...

Karim arrive. Il est très content et l'entraîneur aussi : son temps est excellent ! Il peut gagner la course !

**MERCREDI SOIR**

Les gendarmes arrivent. Ils veulent voir le principal et les quatre garçons.

– Bonsoir monsieur le principal, bonsoir les enfants. Résultat de l'enquête[2]. Le boulanger de Chambéry est aujourd'hui en

1. Chronométrer : mesurer avec un chronomètre : 
2. Une enquête : on fait une enquête pour découvrir un coupable, un assassin...

prison et M. Vitraz va payer une grosse amende[3].

– Oh ! disent les enfants, le père de Zoé, en prison ?

– Oui ! Nous cherchons un voleur[4] de chiens de traîneau depuis des mois ! Grâce à vous[5], nous savons maintenant son nom !

Les enfants ne disent pas un mot.

– Le boulanger vole les chiens de traîneau pour acheter des voitures de sport... Il adore les voitures de sport...

– Et Monsieur Vitraz ?

– Monsieur Vitraz loue[6] son garage. Mais il sait tout !

Quelle histoire ! Les enfants pensent à Zoé... c'est trop triste !

## JEUDI

Zoé est absente.

La journée passe très vite... demain, la course, enfin !

## VENDREDI

Les concurrents[7] sont au départ[8] et s'occupent des chiens.

Tiens... les élèves de Monsieur Vitraz, du collège de La Bâtie, ne sont pas là.

Zoé est toujours absente.

C'est le départ !

---

3. Payer une amende : donner de l'argent. On paie une amende si on gare sa voiture à un endroit interdit.

4. Un voleur : personne qui prend des objets qui appartiennent à d'autres personnes.

5. Grâce à vous : avec votre aide, votre collaboration.

6. Louer : donner de l'argent à une personne pour habiter dans sa maison.

7. Un concurrent : les autres personnes qui participent à la course et qui sont d'une autre équipe.

8. Départ : endroit où commence la course ≠ *arrivée* : endroit où se termine la course.

Tout va très vite.
Karim est en quatrième position.
Maintenant, il est en troisième position...
–Allez, allez, les chiens ! crie le jeune garçon.

Les élèves du collège de La Source-en-Savoie attendent Karim et son attelage à l'arrivée.
Ça y est ! On voit les premiers concurrents... Mais où est Karim ?
Le voilà, il est en troisième position. En troisième ?
Mais l'attelage de Karim dépasse[9] alors les autres. Génial ! Karim arrive le premier ! Hourra !!!
Les élèves crient et sautent de joie. Ils courent vers les chiens et surprise !... Zoé est là avec sa mère ! Elle embrasse Karim et dit :

- Bravo, Karim. Je suis désolée... pour l'histoire de Julie.
- Ce n'est pas ta faute, Zoé.
Sur le podium, Karim félicite les deux autres mushers.

---

9. Dépasser : passer devant. *La voiture dépasse les autres voitures sur la route.*

Au collège, le principal et les professeurs félicitent Karim et son équipe. Karim envoie un sms à ses parents : « Victoire ! Je suis 1$^{er}$ ! »

Le soir, c'est la fête au collège. Les élèves, les professeurs et les surveillants mangent une fondue savoyarde[10] à la cantine. La coupe de Karim est au milieu de la table.

---

10. Fondue savoyarde : spécialité de la Savoie. Plat à base de fromage.

# Activités chapitre six

**1. Mercredi matin. Coche les phrases vraies.**

**a.** Julie va bien. ❑

**b.** L'entraînement ne se passe pas bien. ❑

**c.** Karim et son attelage font 30 km. ❑

**d.** Karim fait un bon temps. ❑

**e.** D'autres élèves préparent des compétitions de ski. ❑

**2. Le résultat de l'enquête. Complète avec :**

*vole – prison – adore – acheter – amende*

Le père de Zoé est en ................ et M. Vitraz va payer une ................

Le boulanger ................ des chiens de traîneau pour ................

des voitures de sport... Il ................ les voitures de sport.

**3. Vrai ou faux ? Coche.**

|  | VRAI | FAUX |
|---|---|---|
| **a.** Karim arrive deuxième. | ❑ | ❑ |
| **b.** Zoé vient voir la course. | ❑ | ❑ |
| **c.** Tout le monde félicite Karim. | ❑ | ❑ |
| **d.** Le soir, il y a une fête au collège. | ❑ | ❑ |
| **e.** Les élèves mangent des pizzas. | ❑ | ❑ |

**4. La course. Dans la grille, trouve les mots qui correspondent aux définitions.**

**a.** Lieu où commence la course : le ....................................................................

**b.** Lieu où se termine la course : l' ..............................................................

**c.** Autre sportif qui participe à la course, rival : un ..............................

**d.** Lieu où montent les personnes qui gagnent

la course : le ...............................................................................................

**e.** Objet qu'on donne à la personne qui gagne

la course : une ............................................................................................

| C | O | N | C | U | R | R | E | N | T |
|---|---|---|---|---|---|---|---|---|---|
| Q | P | W | O | Y | A | Q | J | J | D |
| S | O | X | U | T | R | S | K | M | W |
| F | D | E | P | A | R | T | L | B | Y |
| G | I | C | E | R | I | D | M | I | D |
| H | U | V | P | E | V | F | A | R | G |
| J | M | B | O | Z | E | G | Z | X | E |
| K | R | N | I | A | E | H | E | O | O |

**1.** Quels sports tu peux pratiquer dans ton collège ?
Il y a **un sport spécial ?**

**2.** Tu fais un sport ? Lequel. **Tu aimes ?**

**3.** Quel est ton cours préféré ? **Pourquoi ?**

**4.** Est-ce que, dans ta classe, tu peux fêter ton anniversaire avec tes amis ?

**5.** Karim envoie un sms à ses parents. Et toi ? Combien de sms tu envoies par jour ? **À qui ?**

**6.** Tu aimes la montagne et la neige ? **Tu fais du ski ?**

**7.** Tu as un animal chez toi ? Qu'est-ce que c'est ? **Comment il s'appelle ?**

**JEU DE RÔLES POUR DEUX PERSONNES**
Zoé remercie deux amies pour ses cadeaux d'anniversaire.

**JEU DE RÔLES POUR QUATRE PERSONNES**
Trois copains de la classe félicitent Karim pour sa victoire.

**1. Imagine le thème d'un chapitre 7. Écris son titre.**

..................................................................................................................

..................................................................................................................

**2. Donne ton opinion.**

Dis ce que tu aimes ou ce que tu n'aimes pas dans cette histoire.
*J'aime / Je n'aime pas*

..................................................................................................................

..................................................................................................................

..................................................................................................................

..................................................................................................................

..................................................................................................................

**3. Karim, Quentin, Antoine et Nicolas sont très amis. Décris ton meilleur copain/ta meilleure copine. Qu'est-ce qu'il/elle aime ou déteste ?**

..................................................................................................................

..................................................................................................................

..................................................................................................................

..................................................................................................................

# Test final :
## ? Tu as tout compris ?

**Réponds, regarde les solutions et compte tes points.**

1. Le collège est...

**a.** à la montagne. ........................................................................... ❏

**b.** au bord de la mer. ..................................................................... ❏

**c.** dans une grande ville. ............................................................... ❏

## 2. La spécialité du collège, c'est...

**a.** la musique......................................................................... ❏

**b.** le théâtre........................................................................... ❏

**c.** le sport. ............................................................................ ❏

## 3. Karim se prépare à une course de...

**a.** ski de fond. ....................................................................... ❏

**b.** chiens de traîneau............................................................... ❏

**c.** ski de piste. ....................................................................... ❏

## 4. Qui disparaît ?

**a.** Valérie................................................................................ ❏

**b.** Julie. .................................................................................. ❏

**c.** Zoé. ................................................................................... ❏

**5. Le père de Zoé est...**

**a.** prof de maths. ......................................................... ❑

**b.** principal. ................................................................. ❑

**c.** boulanger.................................................................. ❑


**6. Qui cherche le chien ?**

**a.** Karim et ses trois copains. ...................................... ❑

**b.** Rayan et Samy. ........................................................ ❑

**c.** Valérie et Alex. ........................................................ ❑


**7. Qui est le coupable ?**

**a.** Le principal. ............................................................. ❑

**b.** Le vétérinaire. ......................................................... ❑

**c.** Le boulanger. ........................................................... ❑


**8. Le coupable...**

**a.** va en prison. ........................................................... ❑

**b.** paie une amende....................................................... ❑

**c.** est libre..................................................................... ❑


**9. Qui gagne la course ?**

**a.** Un élève du collège de la Bâtie................................. ❑

**b.** Karim.......................................................................... ❑

**c.** Un élève d'un autre collège....................................... ❑


**10. Après la victoire, c'est la fête. Les enfants...**

**a.** regardent un film....................................................... ❑

**b.** mangent une fondue.................................................. ❑

**c.** dansent....................................................................... ❑

# La Savoie

**1. La Savoie.**

**a.** Quelle photo représente la Savoie ? Coche.

1. ❏                                           2. ❏

**b.** Quelle est la ville la plus
importante de Savoie ?
Regarde la carte et coche.

1. Marseille.      ❏
2. Chambéry.      ❏
3. Lille.          ❏

**c.** Il y a un lac à côté d'Annecy.

Regarde la carte. Comment il s'appelle ?

.......................................................................................................................

.......................................................................................................................

.......................................................................................................................

**d.** Comment s'appellent les habitants de la Savoie ? Coche.

1. Les Auvergnats. ❏

2. Les Corses. ❏

3. Les Savoyards. ❏

## 2. Donne deux sports qu'on peut pratiquer en Savoie.

**a.** .......................................................................................................................

**b.** .......................................................................................................................

## 3. Quel plat est typique de la Savoie ? Coche.

a. ❏

b. ❏

c. ❏

**Prépare la lecture : Activité 1** : a. 3 - b. 1. froid 2. l'hiver 3. les sports de neige ■ **Activité 2** : a. le musher - b. le chien de tête - c. le traîneau - d. l'attelage ■ **Activité 3** : a. 4 - b. 1 - c. 2 - d. 3 ■ **Chapitre 1 : Activité 1** : a. Lundi. - b. Français, maths, histoire et anglais. - c. Le sport. - d. Course de chiens de traîneau, ski de piste... ■ **Activité 2** : a. faux - b. faux - c. vrai - d. vrai - e. faux ■ **Activité 3** : a. 4 - b. 1 - c. 2 - d. 3 ■ **Activité 4** : a. gamelles / arrivent / Julie / où - b. 1. flocon 2. loup ■ **Activité 5** : a. cantine - b. bibliothèque - c. dortoir - d. cour ■ **Activité 6** : a. chiens de traîneau - b. participe - c. Karim - d. Julie ■ **Chapitre 2 : Activité 1** : a. Ils sont fatigués. - b. Il neige et il fait froid. - c. Le professeur d'anglais. - d. Non, elle n'est pas là. ■ **Activité 2** : chenil - nerveux - courir - tranquillisent - caresses ■ **Activité 3** : a. nerveux - b. Boris - c. ne vont pas - d. furieux - e. jaloux ■ **Activité 4** : a. vrai - b. faux - c. faux - d. vrai ■ **Activité 5** : cours - gymnase - SVT - physique - récréation ■ **Chapitre 3 : Activité 1** : a. 6 - b. 4 - c. 3 - d. 5 - e. 2 - f. 1 ■ **Activité 2** : veux - vétérinaire - compagnons - forme - travail ■ **Activité 3** : a. boulanger - b. chocolat - c. excellent - d. aime - e. invitent ■ **Activité 4** : Bon anniversaire ! ■ **Activité 5** : a. vrai - b. faux - c. faux - d. vrai ■ **Activité 6** : chaussures - gants - écharpe - bonnet - anorak ■ **Chapitre 4 : Activité 1** : a. vrai - b. faux - c. vrai - d. vrai - e. faux - f. vrai ■ **Activité 3** : a. Où / À Chambéry. - b. Où / Derrière un arbre. - c. quelle / Blanche. - d. Comment / Très fort. - e. qui / À M. Vitraz. ■ **Activité 4** : Aux gendarmes. ■ **Activité 5** : a. 3 - b. 4 - c. 1 - d. 2 ■ **Chapitre 5 : Activité 1** : a. 2 - b. 4 - c. 3 - d. 5 - e. 1 ■ **Activité 2** : nerveux - dormir - chocolat - longue - aventure - inquiets ■ **Activité 3** : a. 6 enfants. - b. Rayan et Samy. ■ **Activité 4** : a. Parce qu'ils veulent découvrir le secret des quatre amis. - b. Parce qu'il y a Zoé. ■ **Activité 5** : a. 3 - b. 1 - c. 4 - d. 2 ■ **Activité 6** : a. joie - b. bonne - c. derrière - d. loin ■ **Chapitre 6 : Activité 1** : a - d - e ■ **Activité 2** : prison - amende - vole - acheter - adore ■ **Activité 3** : a. faux - b. vrai - c. vrai - d. vrai - e. faux ■ **Activité 4** : a. départ - b. arrivée - c. concurrent - d. podium - e. coupe ■ **Test final : Tu as tout compris ?** : 1. a - 2. c - 3. b - 4. b - 5. c - 6. a - 7. c - 8. a - 9. b - 10. b ■ **Découvre : Activité 1** : a. 1 - b. 2 - c. Le lac d'Annecy. - d. 3 ■ **Activité 2** : a. Le ski de piste. - b. Le ski de fond. ■ **Activité 3** : a ■

Projet : 10225191
Achevé d'imprimer en France en mai 2016
sur les presse de IME

Le papier de cet ouvrage est composé de fibres naturelles,
renouvelables, fabriquées à partir de bois provenant
de forêts gérées de manière responsable.